청어詩人選 290

마음의 빛살무늬 시조집·2

예경 진용빈 지음

봄의 길목

눈 녹은 물길 따라
졸졸졸 타고내린
새빨간 피돌림이
초록 물 풀어놓고

봄빛이
꽃신을 신고
자박자박
오는 길목

짓고 쓰나 부끄런
예경 진용빈

청어

눈 녹은 들길과 라들때때때를 라 그 비 위
새 말갗의 들밀이 초록들때들때 어 녕 고
봉빛이 꽃신을 신고 자박자박 오는
길목

다들면봄의길녹을짓고쓰가며 경진용빈

청포도

주렁주렁
포도 송이
도란도란
속삭이며

이슬로
갈증을 풀고
부쩍부쩍
불어난 뱃살

따가운
햇살을 물고
흠뻑 익은
청포도

짓고쓰고그려꾸릴녀
배경 진용빈

시인의 말

늘 맞이하는 실생활 속 흐름에 감정(感情)을 자극 받아 눈길이 끌리어 살펴온 짙은 느낌에서 머릿속으로 다가오는 하나의 상(像:figure)을 포착하게 된다.

그때 시상(詩想:idea of a poem)을 그리며, 주제가 선정되고 정형(定型:definite form)의 정해진 율격이란 틀에 안기고자, 시어(詩語:poetic language)를 솎아 뽑아 다듬고 다듬어 절제(節制:節 moderation)한다.

상징(象徵:symbol)과 비유(比喻:simile)로서 허울을 빗어, 엷은 은유(隱喻:metaphor)로 갈무리지어 빚어내니, 이 글을 읽는 눈빛들에게 사색(思索)을 이끌어내는 것이 현대시조의 특색이다. 곱씹을수록 당겨지는 진미(珍味:delicacy)가 울어나는 느낌이 현대시조의 그윽한 매력(魅力:charm)이다.

때론 우리들의 삶에서 얽힌 애화(哀話:sad story)을 사설시조란 넓은 그릇에 담아, 눈빛들의 공감(共感)을 이끌어내고자 생각을 넓히어가지만 돌아보면 아쉬움이 남아 자책(自責:self re-proach)이란 채찍이 발길을 다그친다.

우리 겨레의 정서를 뽑아 이어온 선조들의 시조를 본받아 시조를 읊는 시인으로 하루하루가 소중하게 접하고 있다.

차례

1부 미끼

2부 과로(過勞)

3부 꽃길인가?

4부 분꽃

5부 개망초

6부　가위눌린 기억들

1부

미끼

피고름 늪을 건너 내디딘 돌서덜에다
대물려 기댄 삶이 해어진 남루로 안겨
허기를 줄여보려고 안단받달 헤쳐보디,

끌린 낌새 끝자락엔 어음 꽃이 방긋방긋
붉덩물 풍랑 위로 던져진 낚시 바늘에
미끼를 냉큼 베어 물고 파장만이 파르르

1. 미끼

피고름 늪을 건너 내디딘 돌서덜에다
대물려 기댄 삶이 해어진 남루로 안겨
허기를 줄여보려고 안달박달 헤쳐보다,

끌린 낌새 끝자락엔 어음 꽃이 방긋방긋
붉덩물 풍랑 위로 던져진 낚시 바늘에
미끼를 냉큼 베어 물고 파장만이 파르르

갈기갈기 찢긴 순리 툭 털어 불사른 후
언구럭에 빌붙어 황금알을 잡으려다가
되잡힌 수렁 속으로 휘말린 골빈 뼈대.

2. 담쟁이

너덜겅 깔고 앉아 비집고 뿌리내린
새움 머리 두 눈 굴려 좌우를 살펴봐도
날 세운 안돌이만이 가로질러 절벽뿐

두려워 마! 암벽 타는 등반객도 있지 않나
초록 손에 쥘 끈도 없이 맨발로 부딪힌 벽
부착근, 달랑 하나로 붙어 오른 투지이다,

한여름 땡볕으로 달궈진 돌담 벽엔
잘디잘은 발가락에 불볕열기 솟구치니
온갖 힘, 다 바쳐 버틴 담록색깔 그 얼굴

왜바람 몰아치며 붉은 옷 벗고 알몸으로
빙벽을 탄 그 맨발에 냉기가 차올라도
어금니 꽉 물고 견뎌 한파 넘는 담쟁이

슬픔을 지울 수 없어 늪 속에 잠기었는데
거칠고 고된 삶에도 밀고 가는 그 뚝심에
마음이 끌리고 끌려 불끈 솟는 내 의지.

3. 첫 출항

―젓 떼기

희붐히 짚고 부스스 일어나 눈 뜬 뒤
갯물로 소금꽃 핀 빛바랜 겉옷 걸치곤
칠순의 어부내외는 첫 출항길 밀고 열어

밧줄로 꽉 묶인 채, 잠이 든 고깃배들
부르릉 시동 걸린 홑 배가 물결을 갈라
어사리 쳐놓은 곳엔 부표만이 반긴다,

닻 내린 닻밭에선 걸잇줄 실마리 찾아
휘어 쥔 그물코를 힘주어 당기노라면
파드득 몸부림치며 번쩍 튄 하얀 비늘

허기를 움켜쥐고 뱃머리 돌리면서
솟아오른 햇귀에 부듯한 기쁨을 싣고
오늘도 늙은 부부는 제 나이를 잊고 산다.

*2018. 4. 3. 《좋은 시조》 발표

4. 남강의 혼령

푸른 빛 섬광처럼 날개 펼친 저문 남강 물
욕망의 눈빛에다 요염하게 미소를 흘려
논개는 끝내 굳힌 뜻, 조인 팔을 꽉 쥐어

취기에 젖은 몸뚱이 피어난 욕기를 쥐고
지략의 흰 손길에 마춰 된 야한 수캐를
물기둥 덮어씌운 채, 수장(水葬)으로 처넣고

임을 향한 열정으로 타는 불길 끌어안고
차디찬 매운 의지를 치마폭에 숨긴 채로
가슴속, 맺힌 설움을 너를 밟고 지운다.

5. 엉겅퀴의 고된 삶

눈 비비고 초록 머리 흔들며 두 팔 들어
낮빛에 눈길 맞춰 연초록 허리 불리고
살갗에 가시를 벼려 위협 세워 맞섰다

뙤약볕이 몰고 온 바작바작 타는 가뭄
바싹 마른 목 줄기에 졸아 드는 핏줄기
아찔한 순간순간에 의식마저 까막까막

가녀린 몸뚱어리 고개 떨궈 버팀이어
우굴 주굴 근육 빠진
허리 팔이 움켜쥔 가시
갈증을 풀어줄 단비 간구하는 엉겅퀴.

6. 겨울 강

고삐 풀린 한파가 미친 듯 휘몰아쳐와
눈 설레 길을 잃어 갈팡질팡 허둥댈 때
새하얀 설빙을 덮고 길게 누운 겨울 강

무거운 동장군을 등짐으로 지고 있지만
목마른 갈증만은 고비 고비 풀어가며
봄 햇살, 가슴에 품을 쪽빛 낯을 떠올려

골마다 개울물 반겨 굽이굽이 몸집 늘려
낮은 곳, 물길 넓혀 숱한 사연 기쁨을 안겨
그 들녘 아쉬움 채워 보람 꽃을 피운다.

7. 실미도(實尾島)

－젊은 분노

그대에게 지워진 임무를 완수할 때엔
멋지게 살 수 있도록 나라가 보장한다네,
사기는 하늘을 찔러 지옥훈련에 몰입하고

달콤한 꼬임에 녹아들어 마약 먹은 미친개들
밤낮으로 갯벌을 기고 뒹굴며 치고 박고 물고 뜯어, 꿈틀대는
뱀도 씹어 발기며, 나는 새도 한방에 꿰뚫어 핏발선 지옥 훈련
엔 부글부글 끓어오른 침투욕망이 불쑥불쑥 솟구쳐 붉은 무리
적궁(敵宮)을 북파로 박살내고 짓뭉갤 쾌감이 소름으로 돋아
달리는 화약고는 자나 깨나 출전명령만을 기다리던 차에, 갈
비에서 콩나물로, 쌀밥에서 꽁보리밥으로 초라해진 밥그릇엔
푸대접만 쌓여 허기를 움켜쥐고 배신감이 끓어올라 총부리 돌
려 지배층을 쓸어버린 뒤, 물 건너 서울로 밀어닥치던 길에 막
혀 끔찍한 최후로
울분의 화살을 꺾어 자폭으로 흩어진 꽃잎들

뽀얗게 핀, 젊은 분노가 살기 띤, 물살이 되어
피맺힌 사연을 물고 울부짖으며 밀려오는
저 파도 막 삼킬 듯이 실미도로 몰린다.

8. 불나비
-684 대원

1.
실미도에 숨겨온 망초대가 제 꽃잎을
피우지 못한 채로 찢겨버린 울분만이
하늘 끝, 매지구름에 울부짖고 떠돌다,

2.
달콤한 꼼수만 믿고 멋진 꿈을 그려오다,
치고 밟는 파괴 술만 익히며 굳혀 것만
북파로 붉은 목덜미 찌르지도 못한 채

3.
속임수에 발목 찍혀 지옥훈련 수렁으로
이리 속고 저리 속아 울분만 키워오다가
치솟는 불길을 안고 날개 사른 불나비…

9. 반흘림
―붓글씨

도르르 긴장이 감긴 화선지 두루마리가
두 날개 활짝 펼쳐, 필체를 꽃피울 터
글자 수, 치수에 따라 고루 접은 마름질

차분히 숨 고른 채 익혀온 필법에 따라
점찍고 선을 그어, 훈민정음 새길 때엔
누르고 재껴 뽑으며 들어 꺾어 잇는다,

위에서 아래로 기선타고 세운 필봉이
홀소리 닿소리가 손발을 마주잡고
글꼴을 그려 갈 때에 반흘림 꽃 피운다.

10. 갯바위

밀물 썰물 치고 할퀴어 빚어놓은 그 품새
날선 굴곡 깎기고 깎여 매끄러운 암벽살결
곡선에 차오른 몸매 꽃띠여 허리 같다.

출렁출렁 꼬리치며 철썩철썩 격정을 쏟아
새하얀 포말 속 미소 유혹으로 끌리었나?
쪽빛 물, 가슴을 뚫고 우뚝 솟은 갯바위

노을빛 타고 내린 바다 새들 안아주고
지친 날개 접고 쉬다 구애소리 마구 뿌려
굶주린 사랑을 엮는 보금자리 갯바위

울렁울렁 요동치던 가슴속 파도에 밀려
가쁜 숨 몰아쉬며 그대 등에 기어올라
짜릿한 과녁을 뚫어 씨앗뿌린 바다 새.

11. 꽃무늬 벽지

벽 등에 감긴 채로 숨이 진, 그늘 속 낯은
산듯했던 고운차림 기억마저 싹 지워져
빛바랜 꽃잎무늬만 긴 침묵 베어 물고

벗겨지고 우그러져 우련한 알몸으로
웃음 잃고 눈 감은 채, 누렇게 들뜬 벽지
지난밤 어둠속에서 슬픈 곡절(曲折) 되새겨

굳어진 흙벽처럼 말라버린 외로움을
보듬어 매만지니 달라붙은 시름이 줄어
백지로 탈 바꾼 무늬 의지마저 하얗다.

12. 문화 영웅

레닌의 들개들로 길들여진 수캐에게
야음을 타, 뒤통수 겨눠
'기습으로 불 뿜어라'
지령에 따라 제 혈족, 동맥 끊던 여름밤

잠결에 마구 짓밟힌 육백년 도읍지 품에
미친개 무리지어 구석구석 짓뭉갰으나
맥아더 허리 꺾기로 울에 갇힌 들개 떼

도주할 틈새 막혀 숨어든 산속 절간에
'해인사 폭격하라' 명령 받은 김 대령
어쩌나 대장경만은 태울 수가 없지요,

수차례 독촉 받고 출격했으나 기수 돌려
한 목숨 걸어가며 지켜낸 8만대장경
김영환 대령 애국심을 길이길이 이어야죠.

13. 폐광(廢鑛)

끓어오른 마그마 꺼져 고열을 식힌 뒤에
불순물 걸러버린 순도 높은 노란 뼈대로
가슴 속, 깊이 품었던 노다지를 파고들어

혈관에다 못을 박아 후비어 판 흠집 안에
독약 넣고 불 질러 천년을 한결같던
우리 둘, 맺어온 정분 괴성으로 갈라놓고

골쇠 찍어 빼돌린, 금맥 빠진 몸뚱이만
덩그러니 빈 공간에 뭉개져 깨진 유골은
허기진, 울분이 터져 갱 속 가득 들끓었다.

*《좋은 시조》 2019 겨울호

14. 눈빛들

도라산역을 돌아 나와 안개 걷힌 전망대로

옮겨 가는 길에 초록색 제복줄기가 팽팽한 혈기로 감긴 싱그
러운 눈빛들의 행군에 눈길이 쏠리고 쏠려 누렇게 익어가는
들길을 누비는 힘찬 구보행군이 출렁이는 가을 물결을 세차게
집어타고 높이높이 치켜 올라, 어두운 북녘 땅에 자유의 횃불
을 불끈 든, 쓰나미로 휘몰아 밀고밀어, 뒤꼬여 굳어진 장애물
을 말끔히 쓸어 제치고 훌훌 털어 밟고 밀쳐 닦아내

반세기 침묵을 풀어 웃음꽃 피울 저 병사들!

15. 사호리 한 판 굿

낡삭은 풍경 한 폭 머리 풀고 누워있네
덮친 어둠에 눌려, 두어 척 빈 배들만이
미풍이 진양조 풀어 흔들흔들 몸을 푼다,

돌풍에 쫓긴 물결이 거친 숨을 몰아쉬고
풀어낸 파도소리가 잦은 모리 엮어내며
이어진 가락은 휘몰이 중모리로 한 판이야

김빠진 누런빛을 흩어 뿌린 하현달만이
해쓱한 낯으로 떠, 새벽을 지우고 있다,
해풍이 수그러진 뒤에 실바람 탄 물 가락…

*충남 보령시 천북면 사호리

16. 분홍등불

잔가지만 바람 타나 고목도 울 때 있어
하늘땅 구름떼가 그림자 짓고 놀다가
사라진 제 허울 찾아 흘러가는 띠구름

괴골*에 선 철부지로 홀로 선 한밭까지
생가(生家)만 떠올려도 반가운 눈빛들이
타원형 노란 빛깔로 가지마다 핀 이월

목마른 추억들이 들레며 귓전을 때려
주름진 눈으로 웃음 지며 만나고파
지워진 기억 너머엔 들새가락 봄빛이

팽팽한 풍선 같이 그리움 가득히 쟁여
이슥한 밤 연분홍등불 밝힌 철쭉꽃잎
구슬픔 귀촉도 울음에 허우룩이 느낀다.

*충북 옥천군 청성면 묘금리

17. 절벽 3

무얼 그리 먹고 큰 덩치로 몸피 불렸나
하 세월 검게 탄 낯을 어떻게 다졌기에
그토록 뼈대가 굳어 태산도 업고 있니?

칼바람 강풍에다 할퀴어 찢긴 옆구리
걸친 옷 한 벌 없는 알몸이 되었구나,
긴 세파 시련 속에서 검버섯만 피었군,

뼈저린 아픈 가슴 얼마나 곰삭았기에
꽃바람 진한 유혹, 우레가 덮친 위협도
묵묵히 너 홀로 지킨 믿음직한 절벽아!

낯빛을 바꾸어가며 입맛대로 말 바꾸는
금배지들 간거리 숨음질 쳐, 솎아내고
지워진 몸값을 펼친 절벽처럼 닮아주오.

＊《나래시조》 2017

18. 오늘 나

햇살이 쏟아지는 아파트 옆 꽃밭에서
노란빛 자주색 꽃 그 속삭임 들어보니
저마다 제 이름 외쳐 내 눈길로 모였다,

싱그러운 생기를 이고 지고 달리면서
보랏빛 꿈을 피워 가득 띄워 보냈으나
내 하늘, 마음 밭에는 아직도 허기진 채…

무거운 나이테를 달래고 어르면서
밝은 빛 어둔 그늘 가르고 다듬어가며
파헤쳐 새로운 삶을 엮어가는 오늘 나.

*2015. 11. 22.

2부

과로(過勞)

의욕이 눈 부릅뜬 채, 낮밤을 밟고 달리다,
과로에 미움을 받고 윽벼른 날, 피로에 물려
찢긴 코, 코피를 쏟이 불시착한 내 의욕

고개 숙인 기력이 침묵 베고 코골이야
탈진이 두 발목을 잡아 끌어 푹 빠졌으나
허기가 입맛을 불러 텅 빈 배를 채웠다,

19. 과로(過勞)

의욕이 눈 부릅뜬 채, 낮밤을 밟고 달리다,
과로에 미움을 받고 윽벼른 날, 피로에 물려
찢긴 코, 코피를 쏟아 불시착한 내 의욕

고개 숙인 기력이 침묵 베고 코골이야
탈진이 두 발목을 잡아 끌어 푹 빠졌으나
허기가 입맛을 불러 텅 빈 배를 채웠다,

통증이 숨죽이고 생글생글 생기가 돌아
무겁게 짓눌리어 뭉그러진 좌절을 깨워
의지의 푸른 날개가 훨훨 날아 웃는다.

＊《정형시학》 2019 겨울호

20. 허수아비

누렇게 여물어가는 구수한 속삭임에
갈 볕 타고 살랑살랑 젖은 몸 물기 말려
알알이 덜 여문 속살 오달지게 다진다,

우루루 급습하는 부리 떼 수다쟁이들
힐긋힐긋 엿보다 '멍청한 저 키다리'
무얼 봐, 머리통 쪼아 마구 눈알도 빼네,

바람몰이 미는 대로 이리 흔들 저리 흔들
뼈대 없이 몸 풀다가 별안간 떼로 몰려온
휘몰이 강풍에 쏠려 온 들녘을 후려치고

저문 구름 흘러간 뒤 별빛 놀이 한판이야
반짝반짝 그 밀어에 귀 기울이는 허수아비
엿듣는 솔깃한 맛에 지친 하루 풀어진

별이 지는 숲을 밀고 꿀 꿀 꿀 내려오다,
새하얀 볼때기에 부릅뜬 내 눈알 보곤
제 발길 돌려 줄행랑 친, 그 꼴에 으쓱댄다.

21. 소금밭

물안개 피어난 갯가 수차 등 밟아 굴려
해수(海水)를 끌어안고 방마다 둘러앉혀
대물린 그 염밭에는 일손마저 대물렸나

가득히 몰려온 갯물 들어 마셔 열린 수문
총총히 펼친 뜰에 얇게 눕혀 몸피 줄이고
열 뿜는 그 햇살 품어 얼굴 쳐든 하얀 꽃

지친 하루 풀어놓고 잠이든 늙은 창고는
아득히 밀려온 파도를 탄, 해풍이 덮쳐
삭은 못, 빠진 덧문만 삐걱삐걱 울부짖다.

22. 회고(回顧)
－너와 나

첫눈에 얽힌 인연 초롱꽃 맑은 눈빛이
설렘을 흔들어 놓고 볼수록 푹 빠졌어
불 지른 너와 내 품은 활활 타고 있었지

구겨진 느낌 펴주고 골이진 그늘마저
훌훌 털어 지워주니 하얀 미소 번지네,
해맑은 정감만으로 접힌 속내 풀었다.

곱게 핀 장미 밭에 시새워 우박을 쏟아
놀란 가슴 움켜쥐고 여린 싹 살리고파
혼신을 몰아쳤기에 겨우 키운 어린 눈

감탕 길 이끌리어 긴 고비 누비었나봐
이마 속, 여기저기 새하얀 반점이 번져
찍혔던 아픔을 잊고 장미꽃이 눈떴다.

*2015. 11. 28.

23. 궁포리에서

실바람도 숨이 죽은 언덕 위, 외딴집엔
발길마저 뚝 끊긴 채, 뱃고동만 다녀갈 뿐
적막이 잠든 창틀에 거미 한 쌍 졸고 있군,

뻘겋게 녹이 핀, 주인 잃은 호미 몇 자루
바지락 담기었던 구멍 뚫린 대바구니가
갯벌을 누비고 다닌 비린추억 쥐고 있네,

머흘머흘 몰려온 구름떼가 몸피 풀어
우두둑 다그치는 거친 숨결 휘몰아쳐
궁포리 외진 지붕에 긴 고요를 깨운다.

*2015. 11. 29.

24. 빗방울 여행

피어오른 물안개 품에 눈방울 굴릴 때
검기 울다, 엉기어 쏟아지는 작달비고파
줄기찬 그날이 오길 오메 불망 물방울

솔밭 속 스멀스멀 더듬더듬 흐르다가
그예 벼랑길 타며 무리를 외쳐 부르니
하나 둘 몸피 불리어 술렁술렁 강줄기로

굽이굽이 낮은 등, 골라 채워 흘러가다,
턱진 보에 뱅글뱅글 돌고 돌아 쉬었다가
애타게 마른 갈증을 아낌없이 풀어준다.

25. 붉은 열정

−흑장미

살포시 붉어진 볼, 쪽빛하늘 눈 맞춘 잎
방울방울 은구슬을 입에 물린 아침 이슬
가슴 팍, 팔뚝 마디에 결기 세운 가시로

연정을 고이 품고 붉디붉은 꽃불 향해
매서운 한파 속에 높 하늬 눈보라쳐도
오로지 그대 그리며 타오르는 불길로

명지바람 꼬드기니 해토머리 쥔 빙벽에
울골질 치는 세우가 느른하게 곰솔까지
연둣빛, 벼린 열기가 흑장미 불 켜든다.

26. 텃새 한 쌍

연둣빛 머리를 밀어 오른 싱그러운 촉
만만찮은 눈길을 끌어 모아진 햇살 품고
팔들이 쭉쭉 뻗어 올라 제 그림자 키운다,

둘레에 선, 이웃들이 겨루듯 몸집 키워
그늘을 늘려가며 끼어 든 허우대들
마주친 큰 덩치끼리 뒤엉키어 이룬 숲

햇빛을 겹겹이 가로막은 잿빛 그 속엔
은밀한 밀어가 익어 사랑을 피운 연인이
짹 짹짹 피붙이들을 키우는 텃새 한 쌍

27. 노모의 기다림

비탈진 언덕배기 베고 누운 자갈밭에
콩 팥 고추까지 씨 뿌려 포배기 가꿔
일구어 다져온 터전 한평생 벗이었지

허리끈 졸라매고 가난을 비껴가면서
길러낸 아들딸, 날개 펼쳐 둥지 뜬 뒤에
짝마저 하늘 길 찾아 나만 두고 가시나

눈만 뜨면 외로움만 집에 두고 벗을 찾아
슬레이트 지붕 밑에 외톨이가 무리를 지어
흘리는 꽃잎 수다로 흥을 모아 가락 푼다,

억새꽃 핀, 산기슭 돌아 목이 쉰 밤차기적
객지로 갔던 눈빛들 하나 둘, 태우고 달려
노모의 기다림 곁에 다가오는 만남들…

*2015. 12. 2.

28. 하고파

내 맘속에 잠긴 하늘 새하얀 솜털구름
사뿐히 올라타고 끝없는 쪽빛 물결로
나 홀로 한껏 헤엄쳐 우주 속을 살피고파!

혜안(慧眼)을 눈에 낀 채, 흰 구름 잡아타고
남극 북극 탐사로 숨겨진 보물을 찾아
온 세상 허기진 이들 굶주림을 벗기고파!

신비한 주술의 지혜 빌리어 움켜쥐고
지구촌 불안 씨 뿌린 붉은 작당 몰아세워
낱낱이 검붉은 생각 하얗게 지우고파!

29. 가고 오다

1.
어둔 고갯길 넘어간 풀무치가 울부짖는데
새하얀 찔레꽃미소 칙칙한 골짜기 불 밝혀
수줍어 고개 숙인 들꽃이 발그레 웃음 짓고

2.
더위로 몸살 앓던 긴 여름이 떠날 무렵
마른 숲엔 목이 쉰 말매미가 탁음을 풀고
색바람 젖은 밤길에 귀뚜라미 찬 가락 뽑아

3.
목이 긴, 후조 떼가 차디찬 북풍을 몰고
강벌에 내려앉아 숨 고르며 허기 터는데
붉게 핀, 들국화만이 오들오들 떨고 있다.

*2015. 12. 3.

44

30. 단추의 몸짓

매끈한 차림새로 무게 잡던 침묵을 물고
위선을 덮어주려고 두 눈을 부릅뜬 단추
알몸엔 땡전 한 푼 없는 가면을 쓴 호사비치

텅텅 빈, 그 머릿속엔 사치의 날개가 돋쳐
고운 빛깔 겉단추 열고 차림새 허울을 늘려
뭇 눈길 잡아 끌고 파, 자나 깨나 들썩들썩

입 벌린 단추들로 한기에 움츠린 알몸
단추 있으나 마나 송두리째 풀어 뽑아
겉멋에 시동이 걸려 너풀너풀 옷차림.

31. 소생의 외침

괴성 질러 기죽이고, 칼 불로 번쩍번쩍
팔다리 내리찍어 마구 할퀸 상처만이
들판에 아픔을 끼고 눈을 뜬 채 누웠다.

낭자한 그 신음소리 누가 싹 걷어내고
기름진 터로 가꾸어 씨앗들 꿈 피울까
따스한 명지바람손짓 화해로 반기는군

제 광기에 축 처져 목 떨궈 묻힌 우레
빨갛게 녹이 슬어 진흙에 꽉 물려있군
어디서 봄빛 부르며 뻐꾹뻐꾹 외친다.

*2018. 6. 14. 《정형시학》 발표

32. 비닐 통

여름을 짓밟고 찢어 줄기차게 쏟아 붓는
뽀얀 줄기 끈질긴 고집 세워 마구 후려
범람에 공포를 업은 낮은 뚝방촌 이들

속 빨린 채, 허기져 누운 허연 비닐 통이
뭇발길로 채고 밟혀 골짜기에 데굴데굴
누렇게 성난 붉덩물 몰려 타고 둥 둥 둥

굽이굽이 돌아가다 어깨머리 찢고 찢겨
쑤시고 아찔한데 파고로 곤두박질쳐
두 발목, 잡히어 누워 악취 물 고인 댐…

33. 그 유월 바다
-2010년

날벼락 친 연평도엔 더운피, 핏물이 번져
그물코에 긴 집게발 꽃게를 올려야 할 때
그 유월 파도 속에선 통곡만을 건지네,

무너진 하늘 밑에 주저앉아 널 외치다,
지치고 까맣게 탄, 텅 빈 이 어미가슴을
그 누가 불을 밝히나 불꽃사윈 내 아들아!

핏빛 이념 주머니가 소통을 가로 막아
얼마나 검고 붉게 조였으면 마구 터질까
무시로 불길을 뿜나 그 머릿속 깨치고파…

34. 한탄강 2

－물총새
칼끝처럼 날카로운 부리물고 날쌘 몸에
두 눈알 굴리며 흰 머플러 남색치마로
물살을 가르고 날다, 구애받는 물총새

－두루미
붉은 머리 키다리 성큼성큼 두루미가
물결을 헤쳐 가며 어름치, 꺽지 치어
부리로 냉큼 찍어 내,
짜릿하게 허기 턴다.

－꾀꼬리
강기슭 노송 팔에 둥지 틀고 삐 약 삐 약
죽지에 끼고 앉아 보챔을 먹이로 달래
샛노란 드레스 깃을 한껏 펼쳐 가락 푼다.

35. 수표교 스케치
-을지로 3가에서

쌀쌀한 겨울을 끌고 졸졸졸 달려가는
청계천 잔물결이 삭막한 빌딩숲에서
정겨운 고향도 옮겨 착각 불러 세우고

혀끝에 익은 입맛 쫄깃쫄깃 곱씹어
즐기는 옛 맛을 반백년 벗과 함께
오늘도 풀어 낸 화제 귀 닳아도 솔깃해!

길 건너 인사동 골목 부딪쳐 스치는 어깨
느린 인파 여전 하나 귀에 설은 그들 대화
캐 롤 송, 숨을 멈추어 저문 섣달 밀치다.

36. 꽃씨

검붉은 뼈대기에 누워있는 침묵까지
송두리째, 불 질러 회색으로 사윈 다음
훤하게 빈 터 파헤쳐 고운 봄을 심는다,

이마를 움켜잡고 서로 비벼 버티어온
깡마른 껍질 속에선 노란눈빛 굴리며
초록 손, 번쩍 들고서 꽃눈이 막 뜰 것 같아

뽀얗게 풀어헤친 새벽안개 담뿍 안고
노랗게 핀, 꽃잎만이 내 맘에 맴돌건만
그 봄은 저 만치 앉아 게으름만 피운다.

3부

꽃길인가?

투박한 굴참나무 허리를 감아 돌아
팔월 산 능선 타고 싱그러운 풋내 향에
푹 취힌 풀빛 바람이 한 낮 열기 식히나

땀을 식힌 벌레들이 낭랑한 목청을 뽑아
누 굿이 자리 펼친 적막 속에 포물선 긋고
서천(西天)엔 개밥바래기 반짝반짝 윙크하나

37. 꽃길인가?

투박한 굴참나무 허리를 감아 돌아
팔월 산 능선 타고 싱그러운 풋내 향에
푹 취한 풀빛 바람이 한 낮 열기 식히나

땀을 식힌 벌레들이 낭랑한 목청을 뽑아
누 굿이 자리 펼친 적막 속에 포물선 긋고
서천(西天)엔 개밥바래기 반짝반짝 윙크하나

어둠을 뚫고 스쳐간 누런 꼬리 별똥별
사라져간 뒷모습이 아른아른 금줄기로
내 앞에 떠난 그대가 밝히고 간, 꽃길인가?

*2018. 4. 3. 《좋은 시조》 발표

38. 굿놀이패

�꽹과리 장구소리가 춤꾼을 불러 모아
덩실덩실 흥을 띄워 돌고 도는 굿놀이패
앞잡이 상쇠를 따라 가던 길도 뒤돌려

우루루 몰려왔다 소리가락 장단 맞춰
뿔뿔이 흩어지는 자진모리 한 굽이가
신명을 띄우고 풀어 돌고 돌아 휘몰이야

굿거리장단 맞춰 어깨춤에 춤판실어
'빌고 빌어 우리부모 무병장수 하옵소서'
상문 굿 가득히 채워 복을 빌고 명을 빌다.

39. 서울52라1813의 수난

요것저것 에미의 마음을 가득히 채워
정해진 맞춤 품에 요리조리 결박시켜
팽팽한 침묵을 담아 띄우려고 달리다,

붉은 눈 정지선으로 느릿느릿 닿아서는
그때 쾅! 요동친, 전율파 충격이 덮쳐
제동을 걸고서 파장 그 진원지 찾아서

눈알을 휘둥그레 좌우로 굴리다가
뻔뻔한 뻔순이 탈 쓴 눈과 불꽃 튀다
옆구리 치고서 억지 부려 꽁무니 뺀다,

날 세운 설전만이 비등점으로 흐르다가
받아치고 받아넘기다 영상에 담으려 하니
꼬리를 내려 낮추며 숨긴 양심 펼친다.

*2016. 1. 11.

40. 겨울 해변 7

싸늘한 바람몰이에 외투 깃을 세우고
날선 파도소리에 리듬 밟고 흥도 끼워
여름 날, 숨겨둔 추억 쥐고 가는 해안 길

부두엔 닻을 내린 어선들만 짠물 배어
부르튼 발등을 씻고 물살로 축 처진 몸
긴장을 풀어헤치고 흔들흔들 맡긴 몸

쌀쌀한 해풍위로 반짝반짝 은빛햇살을
이고지고 할퀴고 찢긴 어망 한 땀 한 땀
바다를 깁고 꿰면서 정담 나눠 엮는다.

41. 찰수수

갈 볕에 살을 찌운 알이 찬, 찰수수가
무거워 숙인 고개에 볼기, 때린 건들마
우우우 휘몰아침에 허리 꺾인 마디마다,

알알이 무르익어 속살을 품고 누운
그 머리에 몰려 앉아 쪼아대는 짹 짹짹
알이 빈, 수수껍질엔 새소리만 고인다.

차지게 몸 사린 눈알 투박한 가을걷이에
휩쓸려 포개어 안겨 여물어진 살집 비벼
씨눈에 새기고 새긴 뽑아낼 촉, 초록 꿈

42. 기억 저편

지나간 기억 저편을 하나씩 들추어 살펴
활짝 핀 웃음꽃 등에 그늘진 울음 한 폭이
굳은 채, 눈뜬 유골로 슬픈 날개 펼친다,

울적한 처진 기분이 무겁게 몸집 불리어
울렁울렁 고인눈물 스르르 물어 옮겨
마음 속, 마른 자락도 흐물흐물 적신다,

아득히 피어난 듯 다가오는 소리가락이
눅눅하던 귀청 속을 보송보송 불러 채워
스며든 감미로 움에 둥둥 뜨며 흥겹다.

43. 정음체(正音體)

매끄럽고 늘씬하게 아래로 뽑아내다,
보름달 엎어놓듯 원형에다 가로 앉은
고른 선, 고운 살결이 소프라노 모음이고

가던 길 방향 틀어 곧게 꺾고 꺾인 채
요리조리 고루 다져 아담한 그 얼굴에
다부진, 뼈대 몸매에 바리톤의 자음은

혀끝이 들락날락 소곤소곤 속삭이고
모음을 꼬드기어 웃으며 합방한 뒤에
둘이서 빚어낸 틀이 소리글자 한글이야.

44. 꼬인 자취

눌어붙은 남루를 싹 쓸어 갈라지고파
고비 고비 밟혀 찢긴 이름마저 파묻어
흩어진 헛소문 발겨 강풍 깃에 뿌리고

뒤틀려 꼬인 대로 얼룩진 모진 삶을
한 가닥 아쉬움에 흐느낀 울음도 지워
한 바탕 훌훌 털고선 쓴웃음만 짓는다,

쓸쓸한 헤어짐에 손뼉을 치지 마라
까칠한 포옹으로 슬픔을 늘리지 말고
묵묵히 흐름 켜켜이 맘도 묻고 잠기리.

45. 겨울 매화
−서울역 옆구리

불꽃 떨군 매운 의지로 빗장 지른 품에
가려진 속임수가 명지바람 펼쳐오지만
까맣게 두 팔로 감싼 꽃망울이 잠겼다,

시간에다 못을 박아 쪼개진 분부대로
떠나는 기적소리에 움찔 놀란 겨울눈이
촉 눈엔 연둣빛 날개 조바심을 누른다,

밤낮으로 와글와글 적막을 지운 이웃들
뿌리내린 내 터전 둘레마다 입 벌린 몸짓
선잠에 시달린 몸살로 핏기말린 팔다리

칼바람 누그러지니 뿌옇게 묵은 때를
이고지고 해풍에 밀려 건너온 찌든 먼지들
체면도 염치도 없이 마구 엉겨 달라붙어

고막을 치고 박아 눈빛마저 흐려 놓지만
가슴에 가득히 품은 초록치마 분홍 꿈을
화들짝, 피울 그 때를 기다리는 홍매화야!

46. 산화(散華)한 전우를 찾아

포성이 사라진 뒤 돌아올 눈빛만을
애타게 기다리다 나이테 떠밀리어
눈감은 그 모성마저 어둔 늪에 묻히어…

살벌한 역사바퀴에 밟히고 밟혀 부서져
잠이든 멍든 꽃들이 타고 떠난 망각 선엔
그 바퀴 눈뜬 기록이 녹슨 철망 잠을 벗겨

지워진 기억 떠올려 쌓인 돌무덤에서
캐어낸 울분, 한 덩이에 눈길이 쏠려보니
굳어진 손뼈마디엔 방아쇠를 쥐었다.

*2018. 7. 4. 《문학공간》 발표

47. 이 가을

쪽빛바다 물감 풀어 비단 깃을 펼쳐가니
한여름 풋 껍질 채워 알찬 살을 불리고
초지로 잘 여문 꿈이 가지마다 출렁출렁

초록가슴 움켜쥐고 아침이슬 목을 축여
알알이 다진 섬유질 까맣고도 울긋불긋
이 가을 살 오른 정취 옮겨 담아 살찌워

찌던 더위 물러가고 선들선들 누런 물결에
눈길 닿는 대로 느껴 버거운 짐, 벗어던지고
창문은 한지로 씌워 옛 정서를 불러 앉힌다.

48. 명필(名筆)

어둠을 가득 물고 잠긴 물에 제살 비벼
고루 섞어 치대고 뒤엉켜 다지고 다져
육모정 고른 틀 쓴 뒤 빚어낸 몸, 먹이야!

수직으로 고추 세워 허리춤 걷어쥔 채
묵당(墨堂)을 돌고 갈아 매끈한 검은 물결이
벼루에 다 모여앉아 펼치어갈 꿈을 꾼다,

샛노란 고운양모 차려입은 곧은 붓끝이
매끄럽게 입수하여 뒹굴뒹굴 속속 품어
필봉을 세운 중봉으로 뽑아낸 글 명필이야.

49. 한강의 낮과 밤

한양이 엮어온 숨결 온갖 애환 엿듣다가
물빛치마 올이 풀려 굽이굽이 펼친 한강수
창공엔 구름꽃 꿈을 물고 가는 백로 한 쌍

바람 깃 간지럼 타고 나울치는 물너울
어둠도 뭉갠 외등에 지워져 사라진 밤
가로등 불빛 날개가 한강 잠옷 벗긴다,

유람선 노란 미소가 살랑살랑 물길 가르고
전조등 줄기 따라 정오 같은 강변길로
저마다 불꽃욕망들 핀 알몸이 오들오들

끝없이 변신 속에 활짝 펼친 그대 품이
흩어진 이산혈육도 하나로 끌어안을
한겨레 넉넉한 가슴 서울 속에 안기고파.

*2018. 7. 4. 《문학공간》 발표

50. 왕거미 3

험상궂은 실 젖에 날카로운 독니가 번쩍
팔 쌍둥이 긴 다리엔 가시털이 날 세우고
기지개 켜 하늘 길을 거침없이 내달려

햇살이 눈 뜬 뒤엔 여덟 개 눈알을 굴려
목 좋은 사냥터에다 허공을 촘촘히 질러
그물 올, 마구 뽑아내 올가미를 짓누벼

벼린 덫 날을 베고 전율만 노리던 중에
스르르 꼬인 올엔 몸부림치는 물뱀이야
비명을 물어뜯고서 효소 독을 찔렀다,

숨죽이는 시간 밟고 올이 풀린 그물코를
요리조리 촘촘히 깁고 기어, 이어 누빈 뒤
긴 침을 깊숙이 꽂아 녹아 고인 즙 빨아

＊《나래시조》 2016년 여름호

51. 바라춤

눈빛에 가득히 안겨 맴도는 복면체도
수정체에 안기어 격한 몸짓 그림자만
저만이 숨긴 속내를 알쏭달쏭 잠긴다,

흔들흔들 숨 고른 뒤 잔잔한 물갈퀴에
중생들 새긴 화엄 가슴에 품어 피우고
연등을 하나둘 밝혀 비구니들 바라춤

어둔 적멸공 앞도 인등으로 길을 열어
현란한 춤사위에 잠겼던 범패를 거둬
부도의 손길로 감싸 우바새 꿈 피우길.

*《정형시학》 2019 겨울호

52. 우도 2
−분화구

눌리고 눌리다가 부글부글 끓어올라
울컥울컥 솟아올라 울분이 불기둥 뿜어
싸늘한 겉껍데기를 풀어헤친 불꽃머리

속살을 파고들어 낱낱이 긁어 발기니
바람 끌어 소통하고 세월자락 밟아가며
새까만 몸뚱어리가 욕심 비워 살갑다,

팔다리 움켜잡고 포개 누운 돌담으로
해풍도 끼고 앉아 고동 소리 듣고 파
귓바퀴, 곤두세우는 돌하르방 히죽히죽.

53. 좀녀네요
-오조리 해변

오름이 길게 누워 툭 끊긴 발 치에는
움막치고 자리 잡아 숨결 돌려 앉은 채
좀녀가 펼친 숨비 소리 햇살 포개 말린다,

올망졸망 붉은 그릇 짠물 물고 주저앉아
둥실둥실 해삼 멍게 먹이 따라 파도 타던
생생한 물 숲속 추억 뻐금뻐금 풀어내고

눈감은 소라 고동이 두고 온, 물너울 벗들
아득히 부르짖는 소라 소리 고동 소리
가르다, 잔잔한 기억 떠올리며 그리는가?

*좀녀: 해녀의 방언
*오조리: 제주도 성산읍 쪽 해변

54. 외돌개(孤立岩)

끓어오른 마그마가 치받쳐 튕기고 튕겨
곁가지로 떨어져 물길 밟고 언저리 서서
저 홀로 가파른 몸매 곧게 지킨 외돌개

한 방울 피도 없는 정수리엔 외솔을 이고
흑갈색 어둔 표정에 한 가닥 초록미소가
뭇 눈길 잡아끄는데 '갈증은 뭘로 푸나요?'

밤하늘 반짝반짝 별빛내린 말간 이슬로
타는 입 타는 목에 촉촉이 갈증을 풀고
해풍에 안겨 찾아온 보슬비 날 적신다,

어둠이 적막을 펼쳐 밀려온 외로움도
외치는 뱃고동소리 등 밝힌 고깃배까지
밤마다 다가온 벗들로 신바람 난 외돌개!

4부

분꽃

창공에 외눈 뜨고 양팔 벌려 올라간다,
살랑살랑 실바람 줄기를 쥐고 뻗어
밤이면 강풍 음보에 귀 기울여 엿듣다,

동살이 어둠을 걷고 밤새 고인 이슬로
갈증을 풀어가며 햇살 따라 초록행보는
오늘도 분홍 꽃불 피울 꿈을 밀어 올린다,

55. 분꽃

창공에 외눈 뜨고 양팔 벌려 올라간다,
살랑살랑 실바람 줄기를 쥐고 뻗어
밤이면 강풍 음모에 귀 기울여 엿듣다,

동살이 어둠을 걷고 밤새 고인 이슬로
갈증을 풀어가며 햇살 따라 초록행보는
오늘도 분홍 꽃불 피울 꿈을 밀어 올린다,

먹구름 검은 심술로 돌풍에다 우박까지
팔뚝마다 상처안고 하늘 향해 신음하며
실뿌리 재앙을 딛고 새살 채워 뻗는다.

56. 별이 빛나는 밤

−고호의 마지막 작품

생레미 병원 창 밖에 눈길이 이끌렸다,
저 언덕 너머엔 옛 기억이 앉아있을까
잠이 든 생각을 깨워 어릴 때를 건널 때

바람결에 밀밭이랑 초록빛 파도를 타고
스치는 곡두처럼 스케치 유혹에 끌려
가만히 흐릿한 맘을 가다듬고 빙긋이

바르르 떨리는 감동을 가득히 품고
손끝에 빠진 기력을 모으고 가다듬어
화필 끝, 세워 긋고 밀어 느낌대로 펼쳤다,

원근을 살리고 살려 거리를 꼭 맞추어
명암을 끼워 넣어 살아서 움직이는 듯
생동감, 그 예술혼이 뭇 눈길을 끌었다.

*고호(Gogh) 『별이 빛나는 밤』 뉴욕미술관에 소장
*《좋은 시조》 2019 여름호

57. 빚
−도서관에서 만난 젊은이

굶주린 배 움켜쥐고, 고인 빚 풀길 없어
이냥저냥 길을 찾아 뛰고 뛰어 찍어 봐도
미소를 피울 수 없어 고민 물고 속앓이

자정이 넘도록 잠 못 이룬 젖은 눈빛만
적막에 가위눌려 구불구불 꼬인 길로
무직의 한 숨소리가, 막 쏟아져 홰치다,

앞만 보고 자만을 키운, 빛 좋은 명문대라
덥석덥석 베어 문, 대여(貸與) 학자금 먹이가
갈 길에 발목을 잡는 신용불량 딱지가 붙어

S대 배지만 보고 다가오던 고운 꽃 볼도
취업에 적신호 보곤 날아간 파랑새무리
짓눌린, 짐 짊어진 채 절벽 뚫을 내 앞길.

*2008. 8.

58. 갯바위 2

고독이 덮쳐도 맘 끌 수 없는 해안선
추억 찍힌 발자국들 쓸 물로 쓸려 가면
아쉬운 사연 흘리며 메아리로 띄운 채

대끼고 할퀴면서 가슴에 품은 추억만
한마디 푸념도 없이 움켜쥔 그 언약을
까맣게 새기고 새긴 한결같은 갯바위

노을에 태우고 태운 새까만 넓은 미소가
말없이 성큼 다가와 포근히 품어줄 때에
짜릿한 꿈길을 엮어 밤을 누빈 갯바위!

59. 오름 타는 봄기운

지난 태풍에 찢겨 날가지 잃은 비탈에도
훗훗한 봄기운이 봉오리에 꽃불을 밝혀
한라산 빙벽 오름에 동장군을 녹인다,

출렁출렁 물굽이 밟고 넘어 밀려온 울녘
눈구멍 숭숭 뚫린 검정 품이 물거품 반겨
꿈속을 누빈 돌하르방 철썩철썩 자장가 베고

검푸른 물결 타고 산호초 숲속 들추다
차고 올라 후이 후이 숨비소리 울릴 때
파도 속, 싱싱한 속살 내 눈길에 피어나.

60. 진화(進化)
−생명체

1.
속박의 늪을 건너 풍상에 찌든 몰골로
허기를 벗기 위한 도슬러 이어진 돌진
그려온 꽃길을 찾아 다가서는 그 눈길

2.
우듬지엔 생각이 앉아 하얀 향수가 피고
한여름 울부짖던 새 가락도 흥이 식어
붉은 움 발끈한 열기 차고 올라 낯붉혀

3.
흐르는 세월을 밟고 새 연분에 엮기면서
피어난 꽃불에 묻혀 씨받이 가슴을 열어
또 다른 혈맥을 세워 울다 웃다 잇는다.

61. 연꽃 향기

침묵을 풀어버린 방긋이 번, 새움 머리
하늘 끝 불길 번진 노을 늪에 알몸 던져
숨겨온 속살 뒤집어 낯을 붉힌 연꽃잎

자갈밭 진흙벌에 뿌리내려 견뎌온 아픔
느티나무 표피에 싸여 푹 젖은 울음이
불타는 꽃물결 속에 불린 향기 풀어내

기운 놀빛 지려 밟고 번져온 어둔 가슴에
자비로 이끌어가는 둥글둥글 염불소리가
잎이 진, 팔 끝에 감겨 맺힌 핏줄 다독인다.

62. 돌탑 2

밟히고 마구 차였던 아픔을 묻어둔 채
묵묵히 가슴 속 꿈, 키우며 자란 돌들
한곳에 불러 모아서 요리조리 앉힌 돌탑

깨지고 찌그러져 홀대받아 굳어진 낯들
닳고 닳은 몸뚱이를 이리저리 꿰맞추니
꾸려져 우뚝 선 돌탑 으쓱대는 돌돌돌

쪽빛을 치켜보는데 쭉 뻗은 잣나무 손길
이웃으로 반겨주고 골바람도 마실 오니
흙속에 묻혔던 슬픔 훌훌 날린 돌탑이다.

*《좋은 시조》 2019 여름호

63. 한 끼 공밥에
-종로 3가

굴뚝 없는 쪽방에서 등걸잠 새우고 난 뒤
어둠을 밟고 일어나 햇살 찾아 기어 나온
굽은 몸, 늘어진 기동 비실비실 기를 쓰며

끼니 걸러 탁 풀어진 벽시계 태엽처럼
식당 앞 늘어선 눈엔 요동치는 허기로
늙은 이, 한술 밥 꿈이 혀끝 쥐고 감기어

푸석이 한 밥알을 잇몸으로 으깰 때마다,
거친 찬에 솟구친 슬픔이 목구멍을 훑어
하늘 간, 아내 손맛이 아른아른 맴돈다.

*2018. 6. 14. 《정형시학》 발표

64. 금배지

새빨간 웃음에다 기호 0번 오 방글입니다.
풀어놓던 청사진은 바싹 튀긴 뻥튀긴가요
하나도, 느낄 수 없던 그 공약은 오발탄이군,

파란 웃음 띤 얼굴 기호 0번 김 싱글입니다,
솔깃한 감언으로 그대의 그 언약들은
어디로, 이민 갔나요, 모두 김 사기였군,

초록미소 흘리면서 기호 0번 장 벙글입니다,
저만이 할 수 있다던 그대 약속 어디 갔나요,
혈세만, 꼬박 빨더니 혈색 좋은 장 빈대군

봄빛이 내려앉은 거리마다 골목마다
말속임에 눈속임에 뻥튀기 오발탄은
이제는, 비나리치다 그만 접고 솔직했으면

민의를 섬기겠다며 그대들 검어 쥔 특권
언제쯤 내려놓겠소, 무노동 무임금원칙
왜 외면, 하시는 지요 실천으로 보여주오.

*2016. 4. 13. 《시조미학》 발표

65. 옥수수

햇살 잠긴 개울물에 잠방대던 친구들과
옥수수 나눠먹던 여름날 그 추억을
세월이 지고 달아나 그리움만 일렁일렁

마을 앞 둥구나무 그네 타기 줄을 서서
밀고 굴러 차고 오른 파란하늘 그 끝에
와 와와, 신바람 소리 지금도 귀에 쟁쟁…

순박한 기억 품에 새하얀 무늬로 앉아
비바람 몰아쳐 와도 꺾이지 아니한 채
오로지 뿌리 내리고 가꿔온 꿈 피운다.

*《언어의 풍경》 2019 겨울호

66. 누렁이 아빠가 띄운 봄맛

날 세운 가시 살 품고 켜켜이 여민 껍질을
햇발이 겨울옷 벗겨 밀려 터진 초록 꿈이
긴 침묵 열고 눈을 뜬 붉은 머리 두릅 순

초락도 가파른 능선 골마다 누비고 누벼
연초록 여린 싹만 골라 뽑은 땅 두릅 순
쌉쌀한 산나물 그 맛, 입맛 끄는 엄나무 순

뽀얗게 피어오른 물안개 헤치어 뚫고
허기진 울음에 먹이 주던 누렁이 아빠
버거운 일손을 내어 띄운 봄맛 상큼했다.

*《언어의 풍경》 2019 겨울호

67. 찾아간 백마고지 2

폭격으로 발가벗긴 황톳빛 산머리엔
초록 숲이 터 잡고 빽빽이 우거졌으나
무겁게 고인 적막에 원한들만 맴돌아

살벌한 전운만이 녹슨 철책 감고 있어
반백년 지나도록 볼모로 누운 넋들이
언제쯤, 허리끈 풀려 귀향길 트이려나?

뿌옇게 피어오른 원귀들이 먹구름 떼로
통일 문 두드리고 가면 벽을 뚫어가며
북녘 땅, 저주 떼 찾아 성난 독기 내달린다.

68. 4 · 19 묘지에서

허리 꺾인 혼령의 나비 숨결 멈춰 처졌더니
울분으로 차오른 열기 뿜어 낸 함성에 끌려
햇살에 딛고 날아올라 흰 넋들이 나풀나풀

바람결에 실려 오는 절기 속, 향기 찾아
이 꽃 저 꽃 코를 끌며 품어온 갖은 사연
한 올씩, 풀어 헤치는 달싹이는 입맞춤

곧 바른 의지를 쥔 채, 영면에 들어서도
혹독한 시련을 딛고 초록빛 잔디로 돋아
뒤꼬인, 역사를 밟고 바로잡는 눈빛이다.

69. 건원릉(健元陵)

파도 타고 몰려온 쪽 바리 해적무리가
고려반도 해안가에 출몰한 도적 떼를
무찔러 공을 세웠던 최영 이성계 두 명장

요동정벌 팽개치고 창끝을 최영에 겨눠
위화도 회군몰이로 개경을 거머쥐고
고려를 타도한 야심 성계장군 속셈은

도성을 새로 세워 부귀영화 꿰어 차고
하늘 아래 호랑이로 누리어 온, 위풍을
어디에 두고 있나요, 억새꽃만 이고 누워

근 천년 침묵 속에 영혼의 산새들만이
동구릉 솔밭 속을 말간 가락 뿌려가며
고독을 풀어주네요, 언제쯤 눈 뜨나요.

70. 오동잎 질 무렵

잎이 진 벽오동나무 밋밋한 이마 아래
굳게 닫힌 눈썹에 드리워진 햇살 몇 올이
추파를, 던져 보아도 온기 잃은 반응이다,

날 세운 찬바람이 떼 서리로 몰아치고
후조 무리지어 하늘 멀리 날아 갈 무렵
먼저 간, 벗들 모습이 회오리쳐 떠오른

복사꽃 흐드러진 나락 골 개울가에서
옛 추억 되새기는 찌개 끓여 천엽으로
즐기다, 날 떠올리어 화제 꽃을 피울까?

71. 달팽이

비바람 몰아쳐도 눈 하나 깜박 않는다,
내 몸 안길 튼튼한 보금자리 달라붙었지
사글세, 방 하나 없는 들판에도 걱정 없다,

소나기 우박에도 서둘러 조바심 없지
양반이 따로 있나, 진양조 즐기는 이 몸
세상을 둥글둥글 굴러 가는 달팽이 양반

먹구름 끼었다가 사라지는 뜬구름 뒤엔
바작바작 땡볕 위에 지글대는 지렁이 알몸
더위를 모르는 내 처소, 이게 바로 천국이야!

스르르 달라 들어 물고 휘감는 살모사
강풍처럼 내리치는 사나운 매 발톱에도
두려움 접고 살아가는 데굴데굴 달팽이.

*2018. 12. 24. 《정형시학》 발표

72. 북한강

눈길 닿는 겉옷은 통뼈로 꽁꽁 얼어
숨통 막는 강풍에 후려치는 눈보라
수면은 틈마저 막힌 결박으로 조인다,

둘러보니 앙상한 가지 위엔 눈꽃이 피어
능선은 흰 베옷 휘감긴 채, 멀리 펼쳤군,
투명한 빙면에 할퀸 칼자국만 눈을 떠

짓눌린 목이 터져 지지직, 비명을 외쳐
땅속에 겨울잠도 일깨워 실눈을 뜨고
드디어 속박 끈 풀려 흘러가는 북한강.

*〈좋은 시조〉 2019 겨울호

5부

개망초

태풍이 휘몰아쳐 뿌리 뽑힌 벽송의 울화
비꼬인 푸서리만이 앙상한 뼈대로 누워
숨조차 말라 비틀어 어석어석 마른울음뿐

땅거죽 뒤집힌 언덕 피죽바람 갈증에도
목숨 건져 홀로 앉은 개망초, 초록미소가
풀벌레 불러들이어 찌찌 찍찍 노래판이야

73. 개망초

태풍이 휘몰아쳐 뿌리 뽑힌 벽송의 울화
비꼬인 푸서리만이 앙상한 뼈대로 누워
숨조차 말라 비틀어 어석어석 마른울음뿐

땅거죽 뒤집힌 언덕 피죽바람 갈증에도
목숨 건져 홀로 앉은 개망초, 초록미소가
풀벌레 불러들이어 찌찌 찍찍 노래판이야

밤마다 출렁출렁 철썩철썩 물 가락 타고
벌레들 리듬 잔치에 나풀나풀 키를 키운
개망초 새하얀 볼엔 생글생글 꽃불 켰다.

74. 노도에 앉은 조선의 학(鶴)
−서포 김만중

청나라 군마발굽에 굴욕을 강요받자
온몸을 던져가며 대적한 병자호란 때
강직한 순절로 맞선 아버지를 여의고

유복자로 태어나 곧고 바른 가르침을
받들어 학문을 익혀 벼슬길 오른 뒤에
정쟁의 휘몰이 타고 먼 노도로 내쫓겨

패거리 음모가 끓어 자욱한 안개 속에서
싸늘한 눈총을 받을 도성에 홀어머니께
어떻게 시름을 풀어 드릴 수 있을까?

적막을 몰아치는 파도소리 이고 앉아
구름 꽃, 꿈길을 펼쳐 구운몽 엮고 엮어
바람에 띄워 보내어 어머니께 드리고파

물길을 열지 못한 채, 바람경만 외어가며
날개 펼친 사씨남정기 여운만 남겨둔 채로
홀연히 떠난 조선의 학, 새긴 자취 돋보인다.

*노도: 유배지 남해의 작은 섬

75. 기다림만

가득히 누린 기쁨 아쉬움을 잊고 잊어
푹 빠져 넘쳐남에 잠시 놓친 애정으로
투정만 불쑥 내뱉어 안긴 아픔 뉘우치며

실바람 아지랑이 아른아른 그대 눈빛
저 하늘 빈창 밖으로 날아간 뒷날부터
뽀얗게 그리움들만 눈부처로 피어나

기억 속에 핀 모습만 한 폭씩 끌어내어
때 낀 세월 걷어내고 영롱한 추억들 보곤
꼿꼿한 기다림만을 먼 하늘로 띄운다.

76. 오미자

새콤한 네 맛에 처진 신경이 눈을 떠
매콤한 톡 쏜 맛엔 알사하게 혀끝이 일어
냉수에 발그레 피운 수줍음이 눈길 끌어

짭조름한 맛에다가 쓴맛까지 감겨 돌아
어릿어릿 혀끝 진단에 감미롭게 감기어
핑크빛 맑은 유혹엔 구미 돌아 끌린다,

넌 참으로 욕심도 많구나 작은 체구에
이것저것 저마다 독특한 미각을 품고
아마도 오미자 너는 맛을 즐긴 미식가야!

77. 팔당호

물비늘 가슴 속을 휘졌던 피라미 떼
물보라 발길에 채인 출렁출렁 물너울 친 뒤
잔잔히 잠재우더니 굴절 딛고 마실 온 햇살

반짝반짝 빛살무늬 풀어헤쳐 꺾고 엮인
은발로 영롱한 상(象)이 내 눈길 잡아끌어
묵묵히 멈추어 서서 날개 펼친 사유 꽃

눅눅한 무더위를 돌풍으로 벗겨놓고
주름진 도로 소음 비탈길 내려와 안겨
가득히 잠긴 눈앞엔 저물녘이 내린다.

78. 석수(石獸)

동구 밖 느티나무 정수리 스친 낮달에
눈길 멈춘 고향땅 낯익은 석수를 보며
아직도 무릎 꿇었군, 무슨 죄를 졌기에

첩첩 산 둘러싸인 먼 암자 목탁소리가
끊길 듯 이어질 듯 둥글둥글 울리며
가늘고 여린 리듬이 귓바퀴에 감기어

밟아온 긴 세파에 휘말리던 나이테로
아득히 잊혀진, 눈을 뜬 그때 기억들이
눈을 떠, 진한 향수로 날 흔들어 깨운다.

79. 종유동(鐘乳洞)

언제 속 비우고 누었는지 알 수 없지만
무딘 석벽 뚫고 뚫어 메아리도 반겨주는
툭 터진, 소통 길 허공 귀가 얇은 종유굴

속 깊은 천정에는 고드름 꽃을 피우고
긴 세월 품어온 삶을 고스란히 쥐고파
낮밤에 젖은 알몸에도 살갑게도 잇는다,

제멋대로 외침들이 고인정적 일깨우듯
빈 동굴 회색 공간엔 간간이 번지는 밀어
숨긴 뜻, 석순(石筍)들만이 나눠듣는 멜로디.

80. 풀빛연서(戀書)

놀 속 산새 울음이 애절한 풀빛연서로
골바람 등에 업히어 이골저골 울부짖다,
붉은 피, 화들짝 뿌려 철쭉꽃잎 눈을 떠

실바람에 끌려 온 꽃향기가 피어올라
허기진 꿀벌 윙윙 밀원 속 파고들어
분홍빛 가슴에 안겨 달콤한 꿀 핥으며

윙 윙윙 꽃가루를 풀고 간, 꽃가지엔
더듬이 더듬더듬 날을 세운 불개미 떼
와 몰려, 물고 빨아대 먹이사슬 살기 돋다.

81. 빈집 2

바람이 벗겨놓은 알몸뚱이 소품끼리
나뒹굴 다 지쳐버린 초점 흐린 눈시울엔
밟고 간, 해와 달빛이 쟁여놓은 적막뿐

하 세월 눌린 무게로 기운 슬레이트 지붕
발길 끊긴 뒤뜰 안을 홀로 지킨 과꽃만이
수줍음 머리에 이고 분홍웃음 흘린다,

긴 고비 멀리 떠난 애틋한 정분들이
새록새록 피어나 보고픈 그리운 얼굴
잊혀진, 흐린 기억을 한 올 한 올 깨운다.

82. 마음만은 꽃띠야!

숨겨둔 그리움들이 아득히 멀어졌는데
늪에 갇힌 옛 기억들 기척에 날개를 펴
떠오른 아쉬운 미소 아른아른 피어나

낭자하게 쏟아지는 매미소리 그늘 아래
앞개울서 물장구치던 벌거숭이 또래 벗들
그 무릇 동글동글 뜬, 눈망울만 활짝 핀다,

저마다 갈길 밟아 가지 치며 엮인 나이테
세월에 감겨 굴러온 색 바랜 턱이 진 삶엔
등 굽은, 몸매 굳혔나 마음만우 꽃띠야!

83. 살찐 빈대

눈 귀 속여 세뇌하고 어린 양떼 고삐 후려
어르고 달래면서 목을 조여 숨 끊긴 이들
흐르는 붉은 슬픔이 가득 메운 대동강

발목 잡혀 노동발리고 배곯아 피 말린 세월
살벌한 냉기 속 늪에 짓밟혀 죽은 혼 귀가
이 갈린, 누런 슬픔이 부글부글 끓는다,

고혈 빨아 살찌운 뱃구레에 겨누어 노린
저주의 날을 세워 움켜쥔 아리수 칼침
차오른 돌연사화기(火氣)가 눈독 들인 그 빈대.

84. 물소리

출렁출렁 넘고 굴러 깨어지고 부서져
잔잔한 몸짓으로 자리 잡고 이룬 수평
가득히 고인 비경엔 발목부터 조인 냉기

혈관 타고 차츰차츰 말갛게 굳은 뼈대
숨소리 눈망울까지 붙박이 결박을 시켜
꽁꽁 언, 결빙 판 호수 박제만을 품었다,

유연한 춤사위도 지워진 율동마저
거울처럼 희고 맑은 물소리 입술 붙어
뭉쳐져, 사라진 가락 언제쯤 돌아오나?

85. 장마

푹 삶은 떡잎처럼 낮게 처진 심술보가
짙어진 심술 보따리 지루하게 퍼붓는데
누수에 잠긴 인내엔 우울증만 피었다,

한결 메고 누운 축 처져 젖은 열기가
하늘 땅 진동하는 섬광만 꿈꾸어오다
빛 잃은 구석만 골라 몰려가던 물보라

구름 끝, 쪽빛 날에 질러 뜬 쌍무지개
자욱이 피어오른 안개 품에 연꽃 같이
피었다, 바람결 타고 떠난 쾌청 아쉬워.

86. 갯벌 아침

물 빠진 갯벌에는 숨죽은 새벽이 졸고
검게 탄 석벽허리엔 결별을 넓히는 중
희붐히 젖은 단잠을 마구 덮은 안개꽃

흰 거품 가득 물고 철썩철썩 가쁜 숨결로
거침없이 치닫는 물머리가 검은 벌 품고
덥석 문, 누런 흙탕물 마구 풀어 덮는다,

출렁출렁 해변을 흔들어 깨운 세찬 밀물
눈을 뜬 바닷새들 밀어닥친 물결을 타고
물질로, 낚아챈 숭어 짜릿한 맛 물고 난다.

87. 내 마음 9

피할 수 없는 마지막 고비 같은 벼랑 톱
달빛 물은 푸른 청룡, 하얀 이빨 깨진 파도
칠흑 속, 휘몰이 가락 울부짖는 물너울

별빛에 시위를 당겨 그리운 고향을 쏘니
저 벼랑 끝 물소리가 어머니 음성으로
귓전이 휘어 감기고 반가움에 눈을 떴다,

아쉬움만 깨운 눈앞, 맘 끌린 꿈을 쥐고파
부푼 의욕 등에 지고 아등바등 일손 쬔다,
한 가위, 보름달 타고 띄우고픈 내 마음.

88. 고려 땅에서

도성을 기점으로 쭉 뻗은 고려 때 기세
추락한 권세가들이 매몰된 뒤안길에도
불멸의 눈빛 부릅뜬, 푸른 서기 고려사

비바람 시달림에도 누렇게 빛바랬을 뿐
강직한 선비처럼 긴 침묵 곧은 자태로
우뚝 선, 석탑들만이 고려 땅을 지킨다,

개경이 지척인데 폭정 속 날선 비수로
살기 띤 적막 속 숲이 적화를 물고 숨어
혈육도 비정(非情)한 칼로 발기발기 발긴다,

북방인들 살육강탈을 굳센 의지로 번번이
맞서 싸워 지켜온 선조들 의기(義氣)를 이어
고려 땅, 긴 결빙만은 열기 풀어 녹여야 해.

89. 겨레의 심장

역사 속 곁가지가 깡말라 누워있다

모가진 돌층계 버짐 핀 낯짝에 번진 빛살은 굽이굽이 조선 성
벽을 감고 돌아 한강을 풀어놓고, 눈길 끌며 치솟은 매끄러운
빌딩 허벅지를 타고 올라 치맛자락 형형히 펼쳐 휘둘러가듯,
한양에서 한성을 밟고 건너 경성으로 굴곡을 딛고 굴러오다
버겁게 허물 벗어 한겨레 심장부로 우뚝 솟은 서울로 지구촌
시선을 끌어모아 힘찬 도약의 꽃길 펼치며 변모만을 끌어당겨
집어타고 늘 새롭게 피울 새 시대 수레바퀴 이끌어가는 터전
으로

변화의 좌표를 풀어 밤낮 없이 뛰고 있다.

90. 변신(變身)

포클레인 성난 소리가 결기 세울 때마다
비탈 등에 기댄 가옥들 균열만 키워가고
하 세월 부실한 허리 관절염이 눈 흘긴다,

누렇게 빛바랜 허울 변신 속 충격파로
두려움 가슴에 품고 공포를 부르고 있어
노을빛 기운 열기도 피를 뿜는 화마 같아

끓어오른 검은 속셈 엉겨 붙은 몰이배가
세차게 몰아쳐 때린 폭우에 휘말리어
반백년 정 나눈 둥지, 골격마저 축 처져.

6부

가위눌린 기억들

부딪쳐 울부짖고 퍼짐이 파도뿐이랴
졸지에 두 팔 잃고 궤도이탈 떠돌이별이
은하수 강여울 건너 은결 빛을 흩뿌려

썰물이 휩쓸고 간, 질펀한 갯벌을 베고
사지 찢겨 병든 목선 코 박고 모로 누워
벌겋게 녹슨 적막이 눈알 굴려 일어선다,

91. 가위눌린 기억들

부딪쳐 울부짖고 퍼짐이 파도뿐이랴
졸지에 두 팔 잃고 궤도이탈 떠돌이별이
은하수 강여울 건너 은결 빛을 흩뿌려

썰물이 휩쓸고 간, 질펀한 갯벌을 베고
사지 찢겨 병든 목선 코 박고 모로 누워
벌겋게 녹슨 적막이 눈알 굴려 일어선다,

멀리서 철썩철썩 들려오는 파도외침이
아득히 지워진 추억 흔들어 일깨운다,
젊음이 밀고 간 난제 가위눌린 기억들.

92. 만선(滿船) 3

끼룩끼룩 잠든 바다를 일깨운 이른 새벽
지난 태풍 눈초리 피해 출항길 저울질하고
풍랑이 날개 접고 앉아 쪽빛물결 활짝 펼쳐

조인 가슴 훌훌 털고 숨 고른 선체 달래
젖은 몸 타이어로 촘촘히 에워 싼 가슴
부르릉, 시동을 걸어 거친 파도 가르고

물살 헤쳐 고기떼 몰아 밤낮을 뒤엎이며
쫓고 쫓은 검은 추격 긴장 속 숨바꼭질로
닻줄에 은빛 숨결이 몸부림쳐 마서이요,

93. 해빙의 몸짓

핏기 말라 주저앉은 산 능선 눈썹 결에
품고 안겨, 온기 빨아 실눈 뜬 씨앗들이
몸 풀린 개울물소리 초록 들녘 깨운다,

강마을 등마루에 겨릿소 비알 밭 갈 때
눈감은 꽃눈들이 겨울잠을 비집고 나와
하얗게 버들 꽃 물고 하늘하늘 웃는다,

지난봄 묵정밭을 헤쳐일군 억센 손길
끼고 걸린 연장들이 싸늘한 헛간에 안겨
반겨줄 초원 속 품을 눈빛 깔고 그린다.

94. 결빙과 불새

유연한 몸짓으로 속살 말간 유동체만
결빙에 표적이 되어 냉기가 눈독 들여
회유를 차버린 채로 얼음 밑을 탄 물살

사형수 무기징역 끔찍한 낱말 핀 낮도
쓰레기 깃을 끼고 동사체로 어둑새벽에
안긴 품, 노천 아궁이 핀 불새로 날아가

산과 들 에워싸인 허공까지 얼어붙어
주눅이든 마음도 이글이글 용암 속 불길
마그마 붉은 치마가 넓은 화면 달궜다,

95. 폭설(暴雪)

풍경소리 꼬리를 물고 잠결에 실눈을 떠
산정(山頂)에 휘날리던 꽃잎 같은 소복차림
눈발의 휘몰이 잠겨 뭇 환상에 빠져들어

멋대로 꾸민 허울 울퉁불퉁 불거진 몸매
뒤틀려 벗겨진 알몸 덮어씌운 하얀 가운
포용은 감싸고 덮어 뉘우치는 눈빛 끌어.

눈부신 은빛 드레스 다소곳이 차려 입고
침엽수 초록 의지가 잔가시 세우듯이
긴 세월, 불거진 굴곡 고루 덮어 다듬다.

*가운: gown

96. 외딴섬

풍랑이 잦아들은 외딴섬 해거름 녘에
절벽 틈에 둥지 튼, 바닷새 쌍쌍이 날아
노을빛 짚어 타고선 사냥에 날 세우는

물갈퀴에 매 맞은 외도 솔밭 짊어진 알섬
세파 속 풍랑에 밀려 알몸이 찾은 불청객
바라크 얽고 꾸미어 별빛달빛 덮고 자며

뽀얗게 피어난 해무 흠뻑 뒤집어 쓴 채
갈증 풀고 두 팔 뻗어 뿌리내린 섬 이불이
암벽을 빗겨 감으며 초록 웃음 머금었다.

*바라크: baraque

97. 중랑천 자전거

물안개 피어올라 손짓하는 중랑천에
은빛 퍼진 바퀴살로 시공을 감겨 가면
물너울 춤 소리 실려 텃새가락 화음이야

날아간 눈부처엔 먼 하늘이 끌려오고
쪽빛날개 물총새가 포물선을 긋고 갈 때
반환점 찍힌 곁으로 열을 뿜는 두 바퀴

물이랑 일던 강물 안개 깃을 접어 올려
자전거 신바람 타고 동그라미 그려가듯
지류도 물살을 섞어 강물줄기 키운다.

98. 정념(正念)

알몸에 등 떠밀려온 살갗 쳐진 세월자락
휘 굽은 처지에 몰려 부딪쳐 찢긴 울화
가파른 삶을 딛고도 곧게 펼쳐 빛을 쥔

차가운 어둠속에 눈길이 포박된 채
검은 색 낀, 이윤을 몰래 베어 긁어가는
살벌한 세파 속에도 칼끝 의지 벼린다,

정복을 숨긴 채로 굽은 짓 바로 이끌어
꾸짖음 뒷짐 지고 해빙 물결 펼쳐 든
그대의 정념 앞에서 무릎 꿇던 뉘우친.

99. 홍의장군

조총으로 무장 된 왜병이 한양을 덮쳐
놀란 선조 피신하고 포로가 된, 두 왕자들
외발의 발굽에 짓밟혀 끓어오른 분노로

비수 꽂힌 약탈에 피가 솟은 흰 치마바지
결연히 의병으로 불길처럼 일어서
선봉장 곽재우 장군 붉은 피를 뿌렸다,

사림(士林)으로 곧바르게 다져진 천강선생
주권을 쥐는 항전에 노도 같은 그 의지로
언제나 붉은 차림에 적을 누른 홍의장군.

100. 변신(變身) 3

고난이 물러간 뒤 쌓은 탑에 미소 피고
시기로 도사린 무리 복병으로 노린다,
매사에 곧고 떳떳한 의지 키운 도전으로

흐르는 물길마다 굽은 벽을 치고 운다,
끊임없이 제 앞길을 다듬어가는 강줄기
생생이 보여준 지혜 변화만이 봄빛이야

흐르는 세파 따라 주인도 바뀌듯이
생각에 입맛까지 쉴 새 없이 변신이다,
끝없이 새 물결 타기 날 세워 피 말려라!

101. 동구릉(東九陵) 3

솔밭에 갈린 그늘이 냉기 펼쳐 서늘하고
조개구름 틈 사이로 얼굴 들은 낮달 따라
무심코 치켜 올려 본, 태조모신 건원릉에

긴 잠에 잠긴 폐하 어명을 받들고 자
허리 굽힌 무신은 빛바랜 석물로 서서
가늘게 솔바람 경을 외워 봄빛 부른다,

적막을 흔들어 깨운 새소리 맑은 울림에
구겨져 접힌 역사를 바로 펼칠 자극받아
유택 속, 왕들 음성이 우렁우렁 이명이야!

102. 2016년 일자리

좁은 문을 뚫기 위해 몰려든 머리들
아등바등 몸부림치며 바작바작 피 말린
깡마른 2016년 일자리 애가 타는 젊은이

축 처져 숨 돌리고 허기를 달래고 나니
까맣게 잊고 지낸 계절감이 고개 들어
미풍의 속삭임 결에 어머니 음성이야!

양지바른 밭둑에 파릇파릇 고개든 쑥
골라 뽑아 버무리니 쫄깃쫄깃 쑥개떡
어머니 손맛이 빚은 입맛 살린 쑥개떡.

진달래 분홍미소가 눈부처로 아른아른
피어난 향기 코끝에 맴돌아 어찔어찔
저 앞산 저녁성좌가 초롱초롱 밝힌다,

자연 풍경이 안겨주는
황금알의 허망함

이정미(문학평론가)

해설

자연 풍경이 안겨주는 황금알의 허망함

이정미(문학평론가)

1. 미끼

피고름 늪을 건너 내디딘 돌서덜에다
대물려 기댄 삶이 해어진 남루로 안겨
허기를 줄여보려고 안달박달 헤쳐보다,

끌린 낌새 끝자락엔 어음 꽃이 방긋방긋
붉덩물 풍랑 위로 던져진 낚시 바늘에
미끼를 냉큼 베어 물고 파장만이 파르르

갈기갈기 찢긴 순리 툭 털어 불사른 후
언구럭에 빌붙어 황금알을 잡으려다가
되잡힌 수렁 속으로 휘말린 골빈 뼈대.

위의 「미끼」는 총 3연으로 펼친 연시조이다. 각 연마다 3행으로 음수율은 3·4(5)조로 일관하고 있다. 각 종장마다 첫 구절을 3음절로 하고 있다.

시상(詩想) 전개에 따른 호흡 절제를 통한 율격(律格)과 리듬감이 돋보인다. 음수율 묘미(妙味)를 살리느라 부사성 첩어(疊語)를 적절이 적용하여 현장감과 그에 따른 잔잔하고 꼭 맞는 정서를 일깨워 주고 있다. '어음 꽃이 방긋방긋', '파란만장이 파르르', '갈기갈기 찢기' 등이 바로 그러하다.

또한 우리 고유의 토속어(土俗語)의 구사를 통해서 고풍스런 분위를 잘 나타내고 있다. 잠자고 있던 순우리말을 불러내어 적소에 안긴 점이 눈에 뛰게 돋보인다. '돌서덜', '어음', '붉덩물', '언구럭' 등이 매력적인 순우리말 시어(詩語)들이다.

이 시조 내용을 살펴본다면 낚시 바늘에 미끼를 끼워서 낚시하는 과정을 거치어지는 생생한 모습을 시저 장면화 하였다. 실감나는 동적인 장면(場面)을 2연 종장에 '파장만이 파르르', '휘말린 골빈 뼈대'(3연 종장)처럼 명사형(名詞形)으로 종결하면서 자연풍경이 안겨주는 경이로운 인상(印象)을 짙게 환기시켜 주고 있는 빼어난 시의 맛을 느낄 수 있다.

1연

피고름 늪을 건너 내디딘 돌서덜에다
대물려 기댄 삶이 해어진 남루로 안겨

허기를 줄여보려고 안달박달 헤쳐보다.

시적 화자는 '피고름 늪을 건너 내디딘 돌서덜'에서 '해어진 남루' 상태로 '허기를 줄여보려고 안달박달'을 쳐본다. 시간보다 장소를 강조하였다.

낚시행위는 자연환경에 벗을 삼는 것이란 배부른 자들의 낭만적인 행태였다. 여기선 허기를 줄여보려는 각박하고 다급한 목적성을 또렷이 드러냈다.

'피고름', '돌서덜'은 고난(苦難)을 암시(暗示)하는 뜻이 잠겨있다. 늪을 '피고름' 같은 병색이 완연한 상태로 비쳐진 것은, 남루하고 허기를 지니는 시적 화자의 고단하고 어려운 삶의 모습에 따른 비유법(比喩法)이다.

낚시하는 실제상황(狀況)을 이렇게 남루한 모습으로 시적 형상화(形象化)한 것은 미끼를 달아서 낚시한 결과의 초라함을 넌지시 암시(暗示)하고자 하는 의도로 볼 수 있다.

2연
끌린 낌새 끝자락엔 어음 꽃이 방긋방긋
붉덩물 풍랑 위로 던져진 낚시 바늘에
미끼를 냉큼 베어 물고 파장만이 파르르

2연에서는 미끼를 물고자하는 물고기와 미끼에 매달린 물고기의 모습을 나타내고 있다. 2연의 초장에서는 미끼에 걸려들기 작전에 물고기를 '끌린 낌새'라고 했다. '끌린 낌새 끝자락엔 어음 꽃이 방긋방긋'에서는 물고기 눈에 포착된 유혹, 즉 말하자면 물고기 미끼를 나타냈다.

'어음'은 망사리에 그물을 끼워 고정시키기 위해 나무나 대(竹)로 만든 둥근 테두리를 뜻하는 제주도 방언이다. 유혹은 늘 달콤하게 다가오기에 '어음 꽃이 방긋방긋'한 웃음 흘린 모습으로 다가온다. 이런 표현은 화자(話者)의 상상력이 탁월하게 두드러진다.

2장의 중장에서 '붉덩물 풍랑'이란 비유(比喩)를 통하여 미끼를 베어 문 물고기는 흐리고 탁하게 파장(波長)이 이는 거친 물결을 만든다고 하였다. '붉덩물'은 붉은 황토가 뒤섞이어 탁하게 흐르는 큰 물길을 뜻한다. 단순히 낚시터의 물자체가 흐려진다는 그린 '정보'성을 지닌 표현만으로 볼 수 없다.

시적 화자가 살피어 그의 눈에 비치는 현실사회의 굴곡 된 삶들이 지닌 신산(辛酸)함을 구체화하고 있다. 동시에 물고기가 미끼를 문, 그 결과란 붉은 흙탕물 같은 물결을 자아 낼만큼 결코 아름답지 못하다는 어두운 사회의 한 단면을 암시하고 있다.

3연
갈기갈기 찢긴 순리 툭 털어 불사른 후

언구럭에 빌붙어 황금알을 잡으려다가
되잡힌 수렁 속으로 휘말린 골빈 뼈대.

3연에서는 시적 화자는 미끼를 입에 문 물고기를 다소 부정
적(否定的)으로 바라보고 있다. 초장에서 '순리'는 수식어 '갈기
갈기 찢긴'으로 보아서 이익만을 쫓다가는 몸을 망친다는 뜻
의 '순리(殉利)'로 볼 수 있다.

미끼에 걸려든 물고기를 '언구럭에 빌붙어 황금알을 잡으려'
는 몸짓으로 비유(比喩)하였다.

'언구럭'은 교묘한 말로 떠벌리며 남의 마음을 끌어들려 남
을 농락하는 짓을 의미한다. 미끼에 걸려든 물고기는 '불사른
후'에 '골빈 뼈대'의 상태로 귀결된다. 이런 시적 표현은 미국
소설가 헤밍웨이(Ernest Hemingway)의 『노인과 바다』의 결말
을 연상시킨다.

낚시에서 미끼로 물고기를 유혹하는 것 자체는 매우 의도적
인 행위이다. 그래서인지 황금알을 먹이로 착각하고 미끼에
걸린 물고기를 잡은들 남는 것 역시 허망(虛妄)함이라는 것을
보여주는 것이 '미끼'라는 시조(時調)가 보여주는 메시지(mes-
sage)이다.

우리 인생사를 보더라도 욕심이 많으면 재앙이 생기는 법이
다. 그런 상황에서 황금알을 잡는다는 달콤한 유혹에 넘어가
면 재앙이 따르고 허망하게 파멸로 빠질 수 있다는 경고의 지

혜를 밝혀주는 점에 주목해야 할 것이다.

현실적으로 보면 대부분 낚시 행위는 미끼를 넣어서 한다. 그렇다고 낚시의 그런 관습을 단순히 부정하자는 것으로 읽을 수는 없다. 미끼 그 자체가 가져다주는 순간적인 쾌락과 허망함을 말하고 있다.

4. 남강의 혼령

푸른 빛 섬광처럼 날개 펼친 저문 남강 물
욕망의 눈빛에다 요염하게 미소를 흘려
논개는 끝내 굳힌 뜻, 조인 팔을 꽉 쥐어

취기에 젖은 몸뚱이 피어난 육기를 쥐고
지략의 흰 손길에 마취 된 야한 수캐를
물기둥 덮어씌운 채, 수장(水葬)으로 처넣고

임을 향한 열정으로 타는 불길 끌어안고
차디찬 매운 의지를 치마폭에 숨긴 채로
가슴속, 맺힌 설움을 너를 밟고 지운다.

우리민족의 고유의 시(poetry)인 시조장르는 그 발생 초기부터 3이란 숫자가 주는 독특한 특색을 지니고 있다. 초장, 중장, 종장, 3장으로 본연의 형식을 이루는 시조(sijo-poem)는, 시적 화자가 창조한 시적 운율(韻律)과 함께 핵심주제를 잘 조화시키고 있다. 초장, 중장, 종장, 3장만으로도 정서적 흐름을 유연하게 표출하는 것은 시조가 지닌 표현 미학이라 하겠다. 무엇보다도 종장에서 첫 구절을 3음절로 정하면서 마무리를 하는 것은 시조만의 절묘한 기법이다.

총 3개의 평시조로 연결된 연시조인 「남강의 혼령」은 의기(義妓) 논개의 순국 행위를 현재 시점에서 서술하고 있다. 논개는 주지하다시피 임진왜란 당시 진주성에서 왜장(倭將)을 안고 강물로 뛰어들어서 충절(忠節)들 나타낸 의기(義妓)이다. 이 시조 제목 '남강의 혼령'이란 곧 영원히 우리역사에서 살아 있는 논개를 가리킨다.

1연
푸른 빛 섬광처럼 날개 펼친 저문 남강 물
욕망의 눈빛에다 요염하게 미소를 흘려
논개는 끝내 굳힌 뜻, 조인 팔을 꽉 쥐어

1연 초장 '푸른 빛 섬광처럼 날개 펼친 저문 남강 물'을 그려보면서 후손의 입장에서 살아있는 논개의 혼령을 느껴보자는 실천력을 암시(暗示)하고 있다. 그래서인지 총 3연에선 논개가 유인하여 적장(敵將)을 안고 강물로 투신하기까지의 세밀한 순간순간 하나하나를 지금 여기에서 그려보고 느껴 볼 수 있도록 생생하게 표출시켜 현재화하고 있다.

1연 초장에선 의기(義妓) 논개가 조국을 위하여 목숨을 바치는 순국(殉國)이란 거사가 이루어질 남강이란 배경을 나타냈다. 1연 중에선 '욕망의 눈빛'은 적장을 유혹하기 위한 술책을 의미한다. 1연 종장에 '끝내 굳힌 뜻'이란 구절을 통해 적장을 유인하기 전 논개의 결연한 의지(意志)의 자세를 나타내고 있다.

2연
취기에 젖은 몸뚱이 피어난 욕기를 쥐고
지략의 흰 손길에 마취 된 야한 수캐를
묻기둥 덮어씌운 채, 수장(水葬)으로 치넣고

2연은 적장에 대한 비유(比喻)에 초점이 맞추어져 있다. 2연의 초장엔 '취기에 젖은 몸뚱이 피어난 욕기'은 중장의 '야한 수캐'가 바로 적장이다. 1연 중장에서 논개가 큰일을 일으키는 거사(擧事)를 두고서 '욕망의 눈빛'이라고 했는데, 2연 초장에선 적장의 탐욕스런 마음을 '피어난 욕기'라고 했다. '욕기'는 '욕망'에 비교하여 어감으로 보아도 1차적인 수준의 단계를 의미한다.

2연 중장에 '지략의 흰 손길'은 논개의 의지를 말하는데, 흰 색이란 표현에서 조국을 위하여 목숨을 바치고자 순국(殉國)하 려는 순수한 마음을 읽을 수 있다. 1연의 푸른색과 대비를 이 루고 있다. 논개의 흰 손길이 향하는 곳은 결국 남강의 푸른 물이다.

3연
임을 향한 열정으로 타는 불길 끌어안고
차디찬 매운 의지를 치마폭에 숨긴 채로
가슴속, 맺힌 설움을 너를 밟고 지운다.

3연에서는 타는 불길을 마다하지 않고 끌어안을 만큼 엄청 난 고난(苦難)을 감수하며 적장을 남강에 수장(水葬)시키는 논 개의 단호한 모습을 서술(敍述)하고 있다.

'임을 향한 열정'에서 즉 임은 조국을 의미함으로 조국을 향 한 열정으로 논개가 당시 절실하게 지녔던 나라 사랑하는 의 지(意志)를 형상화(形象化)한 것인데, 논개의 나라 사랑에 대한 비유(比喻)로 볼 수 있다.

1연 종장 끝에선 '조인 팔을 꽉 쥐어', 2연 종장 끝에선 '수장 (水葬)으로 처넣고', 3연 종장 끝에선 '너를 밟고 지운다.'
첫째, 1연에서 적장을 잡고 조인 팔을 꽉 쥐고 놓지 않았다는 의미가 담겨있다. 둘째, 2연에서 적장을 물속에 처넣어 수장(水葬)시켰다는 의미가 새겨졌다. 셋째, 3연에서는 물속에 처넣은 적장이 살아나올 수 없게 밟아서 깡그리 지운다는 의미로 마무리하였다.

논개에 대한 이야기할만한 재료나 소재인 시적(詩的) 화제(話題)가 이미 역사적 기록에다, 여러 시인들의 시문으로 다 드러났다. 이미 드러난 시문(詩文)들이 밟지 않은 관점에다 초점을 맞추어 의기(義妓) 논개가 나라를 위해 목숨을 바쳐 순국하는 과정을 감동을 가지고, 보다 이채롭게 조명(照明)하여 빚어낸 관점이 「남강의 혼령」이란 시조의 특이한 점이다.

또한 화자 자신만의 사유(思惟) 방식으로 풀어나가며 적절한 비유법을 구사한 시적 상상력이 독특하다. 바로 이러한 점이 「남강의 혼령」이란 시조가 눈길을 끌며 큰 감동을 인거주고 있다.

현대시에선 논개를 떠올리며 그 애국심을 새삼 지녀보자는 것이다. 연시조 「남강의 혼령」에선 논개가 순국하는 순간에 가슴 깊이 품고 지녔던 모든 내적 상황을 승화된 정신으로 시적 상상력에 힘을 입어 빼어난 시상(詩想)을 풀어내고 있다.

47. 폐광(廢鑛)

끓어오른 마그마 꺼져 고열을 식힌 뒤에
불순물 걸러버린 순도 높은 노란 뼈대로
가슴 속, 깊이 품었던 노다지를 파고들어

혈관에다 못을 박아 후비어판 흠집 안에
독약 넣고 불 질러 천년을 한결같던
우리 둘, 맺어온 정분 괴성으로 갈라놓고

골쇠 찍어 빼돌린, 금맥 빠진 몸뚱이만
덩그러니 빈 공간에 뭉개져 깨진 유골은
허기진, 울분이 터져 갱 속 가득 들끓었다.

　　시조는 비교적 짧은 형태의 운문이면서 많은 내용을 함축하
고 있다. 동양화가 지니고 있는 '여백의 미'라고나 할까? 시조
에서는 시문학의 표현 미학인 압축미가 있기에 문자로 쓰이지
않은 내용을 읽을 수 있다.
연시조 「폐광(廢鑛)」에서는 각 연마다 시조의 3·4조 음수율에
맞추어 상상력의 힘으로 눈에 보이지 않는 모습을 그려보도록
형상화(形象化)하고 있다. 그리하여 내용이 관념에 머물지 않
고 구체적으로 공감(共感)을 주고 있다. '폐광' 이외에 접두사를

'폐' 자가 들어간 낱말을 살펴보면, '폐가', '폐촌', '폐교', '폐허' 등이 있다. 이들 단어는 모두 사라진 장소를 메타포르(meta-phor)를 하고 있다.

그래서인지 「폐광」의 전체 내용을 음미하여 본다면 제목 '폐광'은 폐광 상태 자체를 뜻하면서도 폐광의 터가 있는 장소에 대한 애착을 뜻하기도 한다.

폐광은 비유법(比喩法)이 담긴 하나의 장소이며 사물이다. 그 비유법에서 원관념은 무엇인가? 시적 화자(話者)의 주관적 안타까움, 쓸쓸함 따위가 질펀하게 녹아 있다.

1연
끓어오른 마그마 꺼져 고열을 식힌 뒤에
불순물 걸러버린 순도 높은 노란 뼈대로
가슴 속, 깊이 품었던 노다지를 파고들어

1연에서는 땅속 깊은 곳에서 암석이 지열(地熱)로 녹아 묽은 액체로 된 물질인 마그마(magma)이다. 이 마그마가 분출한 뒤에 식고 식어 굳어져 생긴 바위 돌이 화성암이다. 이 화성암에 꽂혀 있는 노다지를 캐는데 있다. 이처럼 광산 속의 변천 과정을 서술하였다.

현장감이 느껴지도록 여러 동작을 동시에 서술하였기에 생동감이 살아 움직이고 있다. 돌로 이어진 석벽(石壁)을 뚫고 들어가 석벽에 묻혀 있는 노다지를 캐기 위한 것이 채광(採鑛)임을 풀고 있다.

중장에 '순도 높은 노란 뼈대'는 노다지 즉 순금(純金)을 비유(比喩)하고 있다. 종장에서 노다지를 '가슴 속, 깊이 품었던'의 주체는 거대한 금광(金鑛)이면서 노다지를 파고드는 금광업자인 광부이다.

2연
혈관에다 못을 박아 후비어판 흠집 안에
독약 넣고 불 질러 천년을 한결같던
우리 둘, 맺어온 정분 괴성으로 갈라놓고

2연에선 의인법(擬人法)과 시적 화자의 절망적인 어조가 두드러진다. 종장 '우리들'을 본다면 시적 화자는 '우리들은'은 태초의 마그마가 분출되어 돌과 노란 뼈대인 금맥이 뒤섞일 무렵, 그 많은 분량의 크고 넓은 석벽의 가슴에 안긴 금맥이 그 이후 맺어온 정분을 느끼며 긴 누천년을 한결 같이 이어왔다는 의미로 풀이된다. 즉 석벽과 그 가슴에 안긴 금맥(金脈)을 '우리들'라는 의인화 시킨 것으로 확인된다.

'혈관에다 못을 박아'서 혈관이란 역시 금맥이 안겨 있는 석벽을 의인화한 것임을 이해된다. 노다지의 채굴에만 눈길이 쏠린 광부들은 노란 금맥이 잠겨 있는 돌, 즉 석벽에다 못을 박아 흠집을 내고 그 흠집 속에다 독약을 넣어 폭발을 시켜 천 년을 한결 같이 한 몸으로 붙어 있던 석벽에서 노란 금맥을 갈 라놓는다는 의미를 담고 있다.

독약은 무엇인가 파멸을 시키는 도구이다. 광부의 작업이 무시무시한 파괴력을 지녔다는 끔찍한 내용이라 해도 시조에 선 결국 서정적인 느낌으로 전달하고 있다. 1, 2연은 과거를 말하고 있으며, 3연 내용을 위한 과정을 말해준다. 시적 화자 는 폐광이 원래 지녔던, 즉 한껏 채광이 정상적으로 가동되던 지난 과거의 광산모습을 상상하고 나서는 지금 여기 '덩그러 니 빈 공간'으로 남은 '폐광'의 갱 속 상태를 쓸쓸하고 적막함 을 느껴보고 있다.

폐광은 표면적으로 본다면 현재는 비록 버려지고 벗겨진 허 름한 공간이지만 지난 날 한 때는 벅차게 번성했던 영화의 추 억을 간직하고 있는 공간이다. 노다지의 이목을 끌이 번성했 던 지난날이 있었기에 전후를 비교하여 초라한 흔적만 남겨진 눈앞에 현재의 폐허 상태가 된 것이다.

세상 사람들의 수요(需要)와 욕망에 의하여 사용되다가 결국 버려져 '폐물'이 되는 것은 자연의 이치이다. 일상에서 눈에 띄 는 버려진 가구 같은 폐기물을 보아도 알 수 있다. 처음에 가 구를 갖추어 활용할 당시는 고급스런 활용감을 누린다 해도 세월이 많이 흘러온 지금 눈앞에 보이는 모습은 쓸쓸함을 안 겨 주는 폐물 상태이다.

3연

골쇠 찍어 빼돌린, 금맥 빠진 몸뚱이만
덩그러니 빈 공간에 뭉개져 깨진 유골은
허기진, 울분이 터져 갱 속 가득 들끓었다.

3연에서는 현재 광물(鑛物)을 캐내는 일이 중지된 채로 있는
폐광(廢鑛) 상태를 보여주고 있다. 더 이상 쓸모가 없게 된 광
산의 모습을 의인화하고 있다. '몸뚱이', '유골', '울분이 터져'
등에서 의인법이 두드러지게 표출되었다. 역시 절망적인 느낌
의 어조가 두드러져 보인다.

절벽인 석벽(石壁)의 층에다 '골쇠를 찍어 빼돌린' 상태와 더
불어 '금맥 빠진 몸뚱이'가 있는 '빈 공간에 뭉개져 깨진 유골
은' 폐광 상태를 의인법으로 은유(metaphor)하여 사색을 유도
하도록 보여주고 있다.

그러나 이 폐 광산에서는 무언가 생명이 움트고 있다. 종장
에 '허기진, 울분이 터져 갱 속 가득 들끓었다'를 음미하여 보
자. 금맥이 빠져나간 폐광이라서 허기가 져있고, '울분이 터져'
있다고 하였다. 허기를 느낀다고 인식하는 것은 무엇인가 채
워져야 함을 암시(暗示)한다.

울분이 있다는 것은 아직 미련이 있어서 폐광 상태로 남아
있는 것이 억울해서 그렇다는 것이다. 일찍이 폐허에서 만물

142

은 싹트고 진정한 새로운 창조가 이어진다고 했다. 이것은 비약하자면 '쓸모없는 것의 쓸모 있음'이란 역설적 진리를 떠올릴 수 있다. 『장자』 26편 '외물(外物)'에 나오는 '쓸모없는 것의 쓰임. 무용지용(無用之用)'이란 말도 이와 같은 의미를 지녔다.

3연에서 폐광이 지니는 새로운 창조적인 몸부림을 발견한다면 세상에서 영원히 쓸모없음은 존재하지 않는다는 것을 새삼 깨우치게 된다.

연시조 「폐광」에서는 폐광이 본래의 광석을 캐내는 채광(採鑛)하던 모습을 간직하며, 새로운 창조를 위한 자기 극복의 몸부림을 하고 있다는 것을 보여주고 있다. 시적 화자는 깊은 통찰력을 발휘하여 이렇게 의미부여를 펼치고 있음이 빼어나다.

이 연시조에서는 종장 첫 3음절마다 쉼표로서 호흡의 안정을 꾀하고 있다. 또한 쉼표는 이어지는 구절에 대한 수식어를 나타내기보나는 아직 가시지 않고 남이 있는 어운(餘韻)이 효과를 위한 것으로 느껴졌다.

마음의 빛살무늬 2

진용빈 지음

발 행 처 · 도서출판 청어
발 행 인 · 이영철
영   업 · 이동호
홍   보 · 천성래
기   획 · 남기환
편   집 · 방세화
디 자 인 · 이수빈 | 김영은
제작이사 · 공병한
인   쇄 · 두리터

등   록 · 1999년 5월 3일
(제321-3210000251001999000063호)

1판 1쇄 발행 · 2021년 6월 30일

주소 · 서울특별시 서초구 남부순환로 364길 8-15 동일빌딩 2층
대표전화 · 02-586-0477
팩시밀리 · 0303-0942-0478

홈페이지 · www.chungeobook.com
E-mail · ppi20@hanmail.net
ISBN · 979-11-5860-957-3(03810)